── ゲーテとシュタイナーに学ぶ観察法 ──

植物と語る

公然の秘密の扉

イザラ書房 IZARA

目 次

"よく観れば、《自然》はその公然の秘密を明らかにする"
とゲーテは彼の『形態学論集・植物篇』の中で語っています。
この謎めいた言葉は何を伝えようとしているのでしょう?

ゲーテの時代から200年以上経った現代の私たちは、物質的・科学的技術主義の発展する中で、自然との関係をどのように持てばよいのかを模索しています。"地球の衣"である植物界。植物はもっとも純粋な形で「生命の秘密」をその姿の中に明かしています。光と闇の織り成す緑の草原を歩けば、私たちは身も心もさわやかになり、緑の木々の間や森の中では、深い呼吸と共に、生き還ったように感じます。私たちが暮らすこの地球は、たくさんの植物で覆われています。自然は私たちの生活の傍にあって、当然のごとく、黙しています。そして私たちはその恩恵を、ほとんど無意識に受け取っているのです。

ゲーテの自然観に深く影響を受けたシュタイナーは"植物学は根源的な生命世界に目覚めることである"と言っています。植物の世界は調和的な世界です。太陽の熱と光、風や雨の恵みを受け、大地の力を受け取り、規則正しく自然界の法則に逆らうことなく身をゆだねています。したがって注意深く見れば、その姿の中に自然界の法則性を見て取ることが可能です。ですから植物界に関心を持ち、観察し、記述し、考えることは、生命の成り立ちに出会い、驚きと共に少しずつ生命世界に分け入る体験となります。そしてそうした行為を通して、私たちと世界との関係性がより具体的に現実性を帯びて、確かなものとなり、「この世界があって、ここに私がいる」という実感がわいてきます。またそれは宇宙や自然界の姿には自分自身も責任の一端を担っているという、私たちの自覚を促すことでもあります。

鉱物・植物・動物・人間と四大元素 (地・水・火・風)

自然界は鉱物、植物、動物、人間という四つの存在によって成り立っています。

鉱物は私たち生物の生活基盤となっている地 (土) の要素です。すべての生物の構成体の一部は物質であり、鉱物界と共有するものです。生物は死ぬとそれまでの統一性を失って、腐敗、分解して鉱物界に戻ります。また金属や宝石のように気の遠くなるような長い時間をかけて、自然界の水の流れや熱や圧力などの作用によって結晶化し、変形、変質することもあり、外からの力によって、崩壊・分離したりします。

植物は春夏秋冬、一年のめぐりという時の流れの中に溶け込み、その流れと共に成長し、繁茂、開花、結実という生成の過程を見せてくれます。そして植物はこの世界を作り出す元となる天と地をつなぎ、闇と光をつなぐ**霊的な杖**[1] を持ち、闇と光が織りなす色彩と形の世界を見事に体現して、目に見えるように物質をもって姿を現しています。植物は**物質体と生命体**で成り立っており、生命体は**エーテル体**ともいいます。このエーテル体は**水の要素**と非常に深い関係性があります。水は高いところから低いところへと流れ、形を生み出す働きの助けとなります。また温められると水蒸気となって空に昇りやがて雨となって地上に注ぎ…というような空と地の間の大きな循環を繰り返して、有機的生命活動をしています。今日では、その物質的な側面ばかりに目が向くようになりました。しかし人間の身体も 70％は水分であり、水の要素である血液が生命を維持します。また母親の胎内での胎児の成長は正に「生命の水」なくしては成り立ちません。臓器形成も器官形成も表皮が陥入して閉じられた空間がつくられ、その中の水の動きによって形成されます。

---

*1 霊的な杖・・・ジョージ・アダムス＆オリーヴ・ウィッチャー『空間・反空間のなかの植物』耕文舎叢書 7 より―植物の垂直原理。花自体は下を向いていても (オダマキ、ホタルブクロなどのように) 横を向いていても、斜めを向いていても、植物全体の身振りとしては、地球的中心点と太陽の中心点を結ぶ。前者の内では物質的な形成諸力を、後者においてはエーテル的な形成諸力が優勢です。

動物 は生命を持ち、また感覚感情をとおして内的活動をします。植物同様に環境に依存していますが、植物より地から解放されていて、本能をもって動き回ることができます。生命を持ち、また感情を通して内的活動をします。その感情体を**アストラル体 (魂体)** といいます。またアストラル体はその分解作用により、意識をも生み出します。アストラルとは天体の星々の意味でもあるように、星々の天体をめぐる動きの形と、一年 12 カ月、一週間 7 日、一日 24 時間、という時間のリズムと関係があります。感情は時に激しく、時に穏やかに縦横に動きます。アストラル体は**風 (空気)** の要素です。

そして**人間** はそれらに加えて精神に貫かれた自我を持ち、自我は自己意識の担い手であり、自分自身の活動を統合する力です。**自我は熱(火)の要素**といえます。熱は物質を変化させることもできます。

これが、この本の基調となっているシュタイナーの自然界の捉え方です。

> *自然からその公然の秘密を打ち明けられはじめた人は、*
> *自然の最もふさわしい解釈者である芸術への抑えがたい憧れを感じる*
> *ゲーテ『形態学論集・植物篇』*

私たちのグループ Visio-paede ヴィジオペーデ研修所主催〔描く場・漣〕では、過去 20 年間にわたって、毎夏の数日間を使い、植物観察を続けてきました。私たちは《描くこと》を職業に、あるいは趣味として、学んでいる者たちです。植物観察を始めたきっかけは、那須という周囲に豊かな自然環境があるという好条件の中で、自然を満喫するだけでなく、ゲーテの語る《公然の秘密の扉》を開いてみたいと思ったからです。さて、私たちも「じっと黙している植物たち」の語る言葉が聴けるようになるのでしょうか？

I 観るということ

もしもこの眼が太陽でなければ
けっして太陽を見ることはできないだろう
われらのなかに神の力が宿らなかったならば
聖なるものが なぜに心を惹きつけよう
ゲーテ『調和の風刺詩』III

なぜゲーテは眼を"太陽"とまで表現したのでしょうか？

眼の構造はしばしばカメラに例えられます。しかし私たち人間の眼はカメラとは違い、外界を映してはいても、見ている対象が意識と結び付かなければ、何も見ていないともいえます。注意深くあることは疎かにされがちなことですが、教育の場でも医療の場でも、出会う人々、患者さんや生徒たちの顔色・肌の質感・動き・眼の張りや輝き、それらはその人自身が気づいていないような問題点や不調を示すサインであったりするので、よく観ることが大切です。特に眼という器官は実に多くを語るものでもあります。その眼の持ち主の心が希望に輝いているのか、打ちひしがれているのか、時に優しさが、厳しさが、悲しみが、怒りが、その眼に現れます。さらに転じて自らの内面を見つめる眼にもなるのです。

この植物観察では、対象物を良く見て思考し、それを描く行為に移し替え、それを繰り返し、また感情に働きかけ、イメージを豊かにする事が必要と考えています。それらが有機的に繋がり、繰り返す行為は、生きいきとした認識への橋渡しとなるのです。

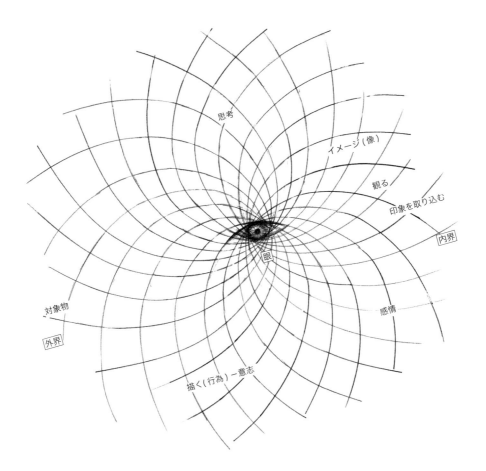

思考

イメージ(像)

観る

印象を取り込む

内界

眼

感情

対象物

外界

描く(行為)-意志

初めの出会い ― 感情

このあふれるばかりの植物群の中で、今この一種類の草花と出会いました。
この出会いを偶然としてしまうか、必然として捉えるか、そこには大きな違い
があります。後者はその出会いを意識的に受け止め大切にするということです。
共感にしろ、あるいは反感にしろ、その時「感情」が動きました。

考えるということ ― 思考

ある草花に出会い「ああ、きれい！」で通り過ぎただけでも、そこで人は心に
温かさと輝きを得ることができます。それも大切なことです。しかし、たくさん
の植物の中のこの出会いを大切なものとして、もう少しそこに留まってみましょ
う。そしてその出会いの印象を、少し細かく言葉に書き表してみます。そのこと
によって私たちは「思考」し始めます。その思考は私たちの中でやがて対象の
植物がだんだん表象 (絵姿) となり、さらに想像力 (イメージ) の助けとなるの
です。

描くということ ― 意志

自分の手を使い感覚を使って、描くという行為をすることで、自分が見たもの、
考えたことの確認がなされます。よく観ていれば描くことができます。上手下手
ではありません。自分がよく観たか？ よく考えたか？ ということが、描けるか
描けないかに関わることに気がつきます。自分の手が自分のものとは思えない
ように動き、描くことに気がつくことでしょう。そして再び対象の植物を見て、
気がついた箇所を描き直したり描き加えたりします。その際に、描きながら自
分の内面で起きていることに意識を向け思考します。それはある程度の訓練が
必要なことですが、描くという行為「意志」と、考えるという行為「思考」を
何度も往復することによって、その人にとって対象との関係が、よりリアルで
確かなものになっていくのです。

知るということ ― 認識

複雑だと思えた一つひとつの草花の全体像が段々と明かされ、そしてそこに在る法則性を理解した時に《自然界の美しさの秘密の扉を開けたのだ》と私たちは気づくのです。そしてこれが《扉》であることにも……。その奥には更なる深い世界があることをも予感されて、私たちは更に謙虚になります。

私たちはしばしば、一見しただけで知った気になっていることがあります。「知る」とはどういうことでしょうか？ たとえ名前を知っていても、その対象を知っていることにはなりません。何を、どのように知ったのでしょうか？

認識に至る道

シュタイナーは彼の著『神智学』の中で「人間は下記のように三重の仕方で世界と結びつく」と表現しています。

1、所与の事実として、眼前の世界と感覚（触覚、嗅覚、味覚、視覚、聴覚）を通して……

2、人間の彼自身に与える印象、共感、反感、有用か否か、気に入るか、気に入らぬか、

　　によって……

3、存在するところのものを、静かな目をもって観察し、吟味し、そして認識のための尺度を、

　　自分からではなく、考察する事物の世界から取出さなければならない。

> *花々を見てその彩を楽しむ。その喜びの感情は私の中にある。*
> *そして花々の法則と本質は私の外、世界の中にある。*

私の内側と外の世界にあるものを、思考、感情、意志を通じて、つなげよう、つなげたいという欲求が人間にはあります。そして自ずとそのための活動、行為が起こります。その欲求に従った地道な活動、行為があれば、それは正に「認識」に至る道の途上にあるということです。植物観察は私たちが世界と結びつき、そして更に少しずつその認識を確かにしていくための格好のテーマだと言えるでしょう。

Ⅱ　観察の実際 ― 方法

全体を観る ― 印象〈出会い〉

みなさんと一緒に緑の草原や林の中に入っていきましょう。そこには日向の植物、日向から日陰に向う辺りに見受けられる植物、また木陰ばかりが続く林の中の植物、水辺を好む植物などがあり、それぞれの環境によって生息する植物の種類が異なります。しかし時には、暗い林の中に場違いなように花を咲かせるものもあります。水辺のもの、木々の根元のもの、乾いた地面に生えるもの、植物は環境を選びます。

〔描く場・漣〕のワークでは私たちは様々に目にする植物の中から、まずは一種類を各々が選びます。自然の野山には沢山の種類の木々や草花があって、目移りしてしまいそうですが、敢えてそれらの草花から一種類を選ぶのです。ついつい見慣れない珍しいものを選びがちですが、普段から見慣れているようなごく普通の草花も、面白いものです。これはなぜなのか、後ほど解ってきます。

次に参加者各自が対象を選んだ所で、少し人数の調整をします。三名ずつ位のグループになるのが理想的です。時には四〜五名もあり得ますが、多過ぎてもいけません。多すぎると、何人かは他の人に依存してしまうからです。三名は大事な数で、一人だとこれからの観察がある時点から進まなくなります。二人では意見が別れた時に収拾がつきません。三名だと意見の違いが良い発展の糸口になったりします。"三人よれば文殊の知恵"とはよく言ったものです。グループで観察するということは、これから観察する対象が、最初に自分で決めた草花でなくなることも当然あります。しかしこの妥協は、すぐに良かったことが証明されます。

さてグループが決まったら、実際に外に出て植物を観察します。各々の選んだ一つの植物を、まず自然に育っている場所で、その状態で観察します。地面から抜き取ると植物は、即座に姿を変えてしまいます。特に雑草はその時の変化が顕著です。雑草の旺盛な生命力は、大地との強い結びつきによるものだからです。

私たちはそこで「この草花は全体としてどのような印象か？」ということを各々が言葉にして書き留めます。そしてその後グループ内でシュアします。

その際には、自分と他の人との観方の共通点と違いを意識します。そこには個々人の気質の違いなどが、言葉の表現の中に現れています。こうしてなんとなく感じていること、これらを敢えて言語化する作業は「思考」を明晰にする助けになり、この作業は私とその植物を繋げます。

そのように自分の感じ方だけでなく、他の人の観方、感じ方を意識した上で、もう一度全体を見ます。軸となる茎はずっと一本が主体なのか、途中から枝分かれを繰り返すのか、または茎を中心軸として、下からだんだんと広がる形か、一旦広がって、もう一度小さくなっていくのか、最初が大きくなる形状か、タンポポやオオバコのようにロゼッタ状か、あるいはそれらとは全く違う物か？ を確認します（つる植物は全く違う成長の形をたどります。植物の茎がもっている立ち上がる姿である≪霊的な杖≫を諦めて、本来つつましやかに隠している「らせん運動」をあらわしたもので、自らは立つことができない代わりに旺盛な繁殖力を示します。いわば逸脱です。ゲーテはそうした逸脱や奇形の植物を見つけると大喜びをしたそうです。"そこには神の働きが顕わになっている"と）。

観察方法は、まず「体・魂・霊」の三分節で植物を見て、のちに「四つの元素」に従って観る、その次には「四つのエーテル」を観るという段階を踏みたいと思います。なぜならば、そうすることによって、より多角的に、植物の存在の本質に近づくことができると考えるからです。これを「植物を観察する三つの観方」といいます。

事実を観る「体」

① 形態と色、事実を記述する

まず事実、つまり目に見える姿として、外側から見える色や形を即物的に書出します。

全体的 な形状は下の広がった三角形か、上の広がった三角形か、下からだんだんに広がり中央で大きく膨らみその後再び縮まっていくか、一節ひとふしで一定の角度を付けて屈折を繰り返しているか。

茎 はまっすぐにのびているか、うねりや弧を描いているか、節ごとに少しずつ角度をつけているか。断面は丸いか角ばっているか。表面は滑らかか、ざらざらしているか、とげがあるか。

葉 の形状は、丸いか尖っているか、滑らかかギザギザか、切れ込みがあるか、やわらかく波形を描いているか。葉の位置は、茎に対してどのようについているか、幾つもついている葉は、それぞれどのような関係にあるか。茎の下の方の葉と上の方の葉の形は同じか、違うか、どのように違うか。

花 の向きは、上をむいているか下を向いているか横を向いているのか。
花弁は、丸いか角ばっているか、開いているか閉じているか。切れ込みがあるか、ここでは感情を抑えて、いわば冷たいくらいの視線で事実を書きだすことをしてみます。

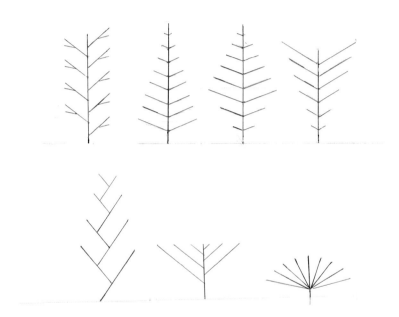

葉の付き方　外形例

② 時間経過に従って記述する

次に時間と共に成長するエーテル体 (時の体) そのものである植物に、その生長の
姿をたどってみます。植物、特に一年草はありがたいことに芽を出した直後の子葉
は枯れてはいますが、ほとんど残っています。またその後、茎をのばしながら順々
に芽を出した葉も当然ながら大きさは変化していますが、その場に残っています。
ですからそこには、時間の経過が見て取れるわけです。

双葉から最初の葉は丸っぽく、葉柄が長い。上に伸びるに従い葉柄は次第に短くなっ
ていく、葉の丸みは段々先端が尖って縦長になり、葉の周囲にギザギザが現れる、
葉はどんどん細長くなり、さらに小さくなる。そして、葉の根元につぼみが付き、
葉の領域を終わり、花が咲きます。

更に生育に沿って観て行きましょう。まず土から芽を出し、双葉を拡げ、茎が伸び
て本葉を付ける。また茎を伸ばし、また葉を付ける。その葉は前の葉よりもう少し
大きくなり、また茎を伸ばす。またさらに大きな葉を付ける。位置をずらしながらそ
れを繰り返し、やがて葉はだんだん小さくなって消えていきます。その形の変化は
どのようになっているのでしょうか? そしてその先には全く違う形と色を備えたつぼみ
が現れます。さて、花を見てみましょう。この花と葉の形の違い。でも絶妙な関係
性が感じられるこの形、色の関係、ここには何が、そしてどんな繋がりがあるのでしょ
うか? ここには大きな不思議があります。

25 ページの図でも見られるように、豆を水につけて数日間置いておくと、豆
の体積が二倍くらいに膨らみ、豆の皮が破れて芽のようなものが出てきま
す。しかしやがて最初に芽と思われた部分は、実は根であることが解ります。

秋も深まり、葉がほとんど落ちて少し寂しくなったクヌギ林に入ると、足元が
埋まるほどの枯れ葉です。それを少しかき分けてみると枯れ葉が腐植土になって
湿ったままになっているあたりに、すでに根を延ばしたドングリを見ることが

ヒメジオンの葉序

あります。木から落ちた時の状態によって、ドングリは横を向いていても、例え逆さであってもその場所から地面を目指して白い根を伸ばしていくのです。

実際に見るという体験は、だれにとっても貴重な体験となることでしょう。もちろん、数か月間成長の経過に沿いながら観察してみることにも意味があります。そうした観察は時間的制約が無い場で、是非機会を見つけてしてみましょう。

③思い出しながら描く ― 表象

翌日の作業の最初に、その日の観察を始める前に「昨日よく観た植物を、根元の方から、成長の流れに従って思いだしながら描く」ということをします。

これは驚くべき発見を参加者全員にもたらします。描く手が自分のものなのか、何なのか？ 筆記具(色鉛筆)の先から昨日自分が見た草花が現れてくるのです。こんなに描けるとは！ 誰にとっても驚きです。特に描くことに劣等感がある方々には「信じられない！ 」ということになります。それは人間としての能力、未だ知られずに、押し殺してしまっていた能力の開花だと私は思います。描き続けていくと、しかしやがてあるところで「あれ？ ここはどうなっていたかな？ わからない」と印象がぼやけてしまい、思い出せない箇所が出てきます。それもひとまずそのままにして全体を描き終えます。それから再び実物のところに出かけてみますと、印象があいまいで、わからなかった部分が「あーそうだったのね！」と、即座に目に飛び込んでくるのです。明らかに観察力がそこで増していること、自分の「眼」が変わったことに気がつきます。《描く》という行為が介在したことは大きなことだと気づくのです。その行為がなければ、このような一つひとつの確認はできません。自分の手の記憶と観ることの往復活動の意味を深く心に刻み、そういった行為を繰り返すことによって、私たちは《表象像》が確実なものになっていくという体験をするのです。

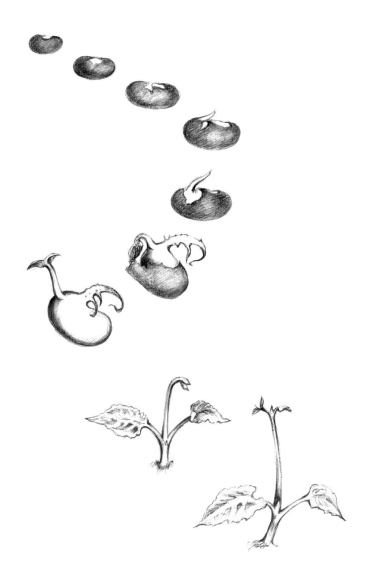

「花豆の発芽」冬の約2ヶ月間室内で観察した成長の様子

心を通わせる「魂」

次に、その形や色合い、質感やにおいに、私たち一人ひとりの様々な「想い」を重ねながら、その草花特有の形や色彩などにこめられた言葉を繊細に読み取ります。

植物のそのすっくと立つ姿には素直さを、あるいは一本気な一途さを、茎の太さにたくましさや、しなやかさ、従順さを感じたりします。丸みを帯びた葉はやさしさ、受け入れる姿勢を、先端のとんがりに決断の清々しさを、ギザギザした葉には人を寄せつけない厳しさや、鋭さ、あるいは臆病さを感じます。私たちは実際に触ってもみます。固いかしなやかか、折れてしまいそうに乾いているか、しっとりした弾力を具えているかなどを感じます。産毛のような肌触りやザラザラのものもあります。また匂いも嗅いでみます。

そしてその色合いには更に心を動かされます。葉の色の柔らかな緑、しっかりとした緑、シブイ緑、茎の色のみずみずしい緑、固い印象を与える緑。赤みを帯びたもの。磨いたように光沢をもったツルツルのもの。ざらついたり、水っぽかったり、粘性や渇き具合いを感じます。そして花の色合いは、私たちの感情を動かして更に豊富な言葉を伝えてきます。

そのようにして私たちと草花との関係は親密なものになります。

花はまた沢山の想いを抱かせます。その花から私たちが受ける印象は“薔薇－愛・美”や“百合－純潔”などといったように、いわゆる「花言葉」として知られてもいます。

シュタイナーは“植物は地球の衣”また“自然界の様々な色彩は地球の魂”と表現しています。植物はこんなにも多様な緑の葉を持ち、そして美しい色合いを持つ花々を咲かせることに、改めて驚きます。

人間は心の内に魂を抱いています。また心は身体の内にだけとどまるものではなく、大きく広がり、会話する相手にも空間を共有する人々にも広がります。そして想像力という翼に乗って遠く離れた人々ともつながることが可能なのです。そのように私たちは植物とも心を通わせることができるのです。

草花の本質を観る「霊」

そうして観察を続けていくと、様々な草花の中に、ある一定の特徴と固有のリズムが読み取れるようになります。「あれ、この草花は"３"のリズムを繰り返している」「これは"３"と"５"が気になる」という具合に、どんなに生い茂って複雑に見える植物にもそれぞれ固有の法則性があることが解ってくるのです。それと同時に、自分が解っていないことにも気がつきます。下の方の葉と中間の葉、上の方の葉の形が違うこと、それらはどのような関連性の内にあるのか？　どの地点で成長をやめるのか？　成長をやめたら何が起こるのか？　葉と茎、葉と花、葉と種（実）、葉と根、花と種、それぞれの関係は？……次々と疑問がわいてきます。そのような疑問に対してゲーテは後述のように生命の法則を整理しているので、それを指針として見ていきます。コンピューターが発達した今日、頭の中で予想したものを画像化することはある意味において容易です。しかし、自分の手を使って時間を使って《描く》というところに、どれだけ多くの喜びや恵みがあるか、人間としての感謝と魂を育てる秘密がここにはあります。

Ⅲ ゲーテの指針 ― 生命の法則

植物は根があり、茎があり、葉があり花があって、実を結びます。
しかし"植物のすべては葉である"とゲーテは定義づけました。
花も実も葉の変容だという意味です。

まずは植物が土の上に立ちあがる仕草から見てみましょう。まだまだ朝霜
の降りる日もある春先、やっと光が明るくなり、ふと足元の雪の中からフク
ジュソウの芽が土を持ちあげ、木々の芽は固いながらも赤みを帯び、物置の
ジャガイモの芽が膨らんでいることに気がつきます。私たち人間にとっては
まだまだ寒い「冬」と思える頃なのに、植物たちはどこで「春が来ている」
という、この月日を知っているのでしょう。私たちの眼には触れない地中で
は、当然ながら極寒の中でもその営みは静かに続けられているのです。そ
のように植物を見ると様々な法則が見えてきます。　ここではゲーテが長
年の植物観察の中で"生命の法則"として捉えた考え方を上げます。

成長と再生、衰微

植物には、種から根を出し芽を出して伸びていき、葉を付け花をつけ実(種)を結
ぶ、という基本的な繰り返しがあります。そして種を結んだあと、力を失い、色褪せ
て本体はしおれて枯れ、やがて土に還ります。これも生命現象の一つの姿です。

らせん運動〈二重らせん〉

草花の茎についている葉の付き方を見ると、葉は茎の周りをらせん運動してい
ることがわかります。またマツボックリに見られるように、一方向だけでなく二重
のらせん運動をしているものもあります。二重らせんはDNAに見られる形態とし
て、今やだれでも知っていることです。生命の根本運動として、らせん運動は捉え
られます。巻貝の形、私たちの体内の腸などの臓器、そして竜巻や火山噴火の火
口にさえこの形はみてとれるのです。

収縮と拡張

一粒の種が、根を出し、茎を出し、葉を広げ、花に至り、また種になる。この過程も、大きくいえば収縮と拡張という考え方の範疇にあるといえます。草花の伸びあがる茎と左右に広がる葉は一つの流れの中にあって、茎で縮み、葉で広がり、また縮み、また広がり…の繰り返しです。葉は茎にほんの小さな点で結ばれ、だんだん広がって、やがてまた先端では縮み、一点に集まり消えていきます。花においてつぼみは中央に集まり、花弁が開きます。時にはタンポポのように朝晩で花弁の開閉を繰り返すものもあります。そのようにさまざまな場面で収縮と拡張の現れがみてとれます。

メタモルフオーゼ〈変容〉

一本の草花でも、その種類特有の典型的な形があります。 しかし23ページのヒメジオンの葉序の例でも見られるように、下から上へと目を移すと、下の根に近い方の葉は丸く、上の方では細長くなり、またギザギザの入り方も違います。一つとして同じものはない、ともいえるような変容を行って、そしてやがてつぼみから花へ、また種、あるいは実へと更に形を変えていくのです。

永遠の法則性 「宇宙法則」

現代の科学は、植物はその種類に応じて、芽を出し茎をのばし葉を付け花を咲かせ、再び実（種）を付けるというこの事全体を情報として一つずつの種の中に持っていて、それが植物の姿となって現れている、そしてたくさんの種をどんどん増やし、子孫を少しでも多く残すことが植物の、また生命そのものの使命なのだと説明します。

科学技術が発展した現代の私たちは、ともすると人間の便利さや快適さを求めるあまり、人間の都合を優先させ、その結果、化学物質や自然破壊によって健康を損ない、今や「地球の危機・終末」を意識せざるをえないような状況になっています

アメリカの動物学者、生物ジャーナリストであったレイチェル・カーソンは半世紀以上も前に『沈黙の春』(新潮社1962年)を著わし、全世界に警鐘を鳴らし、影響を与えました。日本でも石牟礼道子が水俣の公害を『苦海浄土 - わが水俣病』(講談社1969年)で発表、有吉佐和子『複合汚染』(朝日新聞連載1974年)もあります。世界規模での運動として「核廃絶運動」や「地球温暖化防止運動」等々さまざまな取り組みがあります。

しかし一方で効率重視、経済優先であって、生命に対する深い理解に至らず、自然軽視、破壊へと進む力は食い止めることが容易ではないところに来ています。最近の世界中での気候変動は「地球の末期」の予感さえさせるものです。子どもたちや孫たちなどのこれからの世代に、大きな負債を抱えさせたくはありません。

地球はこんなにも美しい！

地球と宇宙との関係、人間と動物、植物、鉱物との関係や、それらと私たち人間の身体と心と精神活動とのつながりを深く考え、真摯に受け止めたいと思います。

私たち人間の生きる意味はどこにあるのか？ 私たちの使命はなにか？
一本の雑草でさえ、その姿の中にまぎれもなく表わされている宇宙法則を見つめる時、私たちは調和ある生命世界の根幹に触れたことを実感します。

「植物」－ ゲーテの言葉

原植物というものが存在するに違いない。もしも様々な植物が全てある基本に基づいて作られている
のでなかったとしたら、それらが植物であることをそもそもどうして認識できようか。

『イタリア紀行』1784 年 4 月 17 日 パレルモ

私に明らかになったのは、我々が普通葉とみなしている植物の器官のなかには、あらゆる形成物の
なかに見え隠れする正真正銘のプロテウス (変容の神) が隠れているということだった。
前進的にメタモルフォーゼしても後退的にメタモルフォーゼしても植物はつねに葉であって、
やがてそこから出てくる芽とじつに緊密に結びついているために、
両者を別のものとして考えるわけにはいかないのだ。
このような概念をしっかりとつかんで心中に刻印し、それを自然のなかに見つけ出すことこそ、
われわれに課せられた課題、快い緊張を約束してくれる課題である。

『イタリア紀行』1787 年 5 月 17 日ナポリ

私は熱心に植物のメタモルフォーゼを説明し、象徴的な植物をその特徴を示すべく、彼の目の前で
デッサンして見せた。彼は私の話に耳を傾け、大変面白いし、よくわかるといった様子でじっと黙って
聞いていた。しかし私が話を終えると、彼は首を振って「それは経験ではない。理念です。」と言った。
私ははっとし、いささか腹が立った。……「私が自分でも知らずに理念を持っていて、
しかもそれを眼で見ていることは、とても嬉しいことです」と。

『シラーと始めて知り合った頃』

ゲーテの直観的な、ある意味でとても素朴な考え方にほっとします。
誰が見ても「植物」といわれる存在のあり方がはっきりします。
「茎があり、葉があり、花があり、根がある存在、すなわち植物」と誰もが納得するところですが、
それはすなわち、植物においては理念が目に見えるものとして実現しているのだ、ということ
なのです。

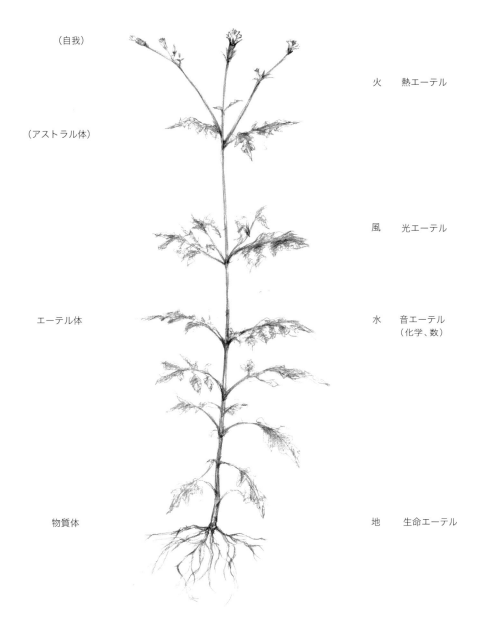

（自我）

火　　熱エーテル

（アストラル体）

風　　光エーテル

エーテル体

水　　音エーテル
　　　（化学、数）

物質体

地　　生命エーテル

IV　植物と人間

シュタイナーは植物を“地球の衣”と表現しました。地球上を覆う植物界は葉の緑色が主体です。また様々な色の花が咲きます。私たちはそんな植物をまずは食物として享受します。また植物が吐き出す酸素を人間は吸い、二酸化炭素を吐き出します。その二酸化炭素を植物は取り込み、光合成して酸素を作り出し、空気中に放ちます。また人間の肌色は緑の反対色＝補色です。植物の葉緑素と人間の血液のヘモグロビンは同種の物質で、物質的にもまさに植物と人間は持ちつ持たれつの関係にあるといえます。そして協働して世界を織りなしているのです。

*2　シュタイナーの色環　96ページ参照

人間の三層構造と植物の三要素との関係

① 人間の頭部－神経感覚系－根
人間の頭部は球形の硬い骨で覆われていて、内部は神経が細かく張り巡らされ非常に発達しています。また人間の頭部には感覚器官が集まっています。感覚器官（目・耳・鼻・口）をとおして、さまざまな、色・形・匂い・音や響きなどといった外界の情報を取り込み、それらに向かって感覚をひろげ繋がります。植物は根を神経のように土の中に細かく張り巡らして、周囲から栄養や水分を取り込み、外部と繊細に繋がります。

② 胸の領域－循環器系〈リズム機構〉－葉
背骨を中心に左右に規則的に並ぶ肋骨は、細く薄い骨が並び、内臓を守り覆うように囲んでいます。また棒状の背骨を軸に間隔を置いて並ぶことで、心臓・肺の呼吸・内臓の動きは一定のリズムをもって血液や体液を身体全体にめぐらせます。葉は棒状の茎のまわりに一定の間隔を保って並び、昼と夜の間に二酸化炭素と酸素の交換活動をリズミカルに繰り返します。

③ 手足と腹部、生殖器の領域－四肢代謝系－花
人間の手足は棒状に長く、身体の中で一番動き回り、また細やかにも動く器官です。外界に開かれていて、外部とのつながりを求めます。身体を移動させ、活動し、社会と繋がります。手は仕事をし、文字を書いたり絵を描いたり、物を造る活動を担います。生殖器は次世代の生命を作り出す働きを担います。植物の花は色や香りを放ち、そのことによって昆虫を誘い、蜜を与え、胞子や花粉を運んでもらうというように外界と繋がります。そして生殖としての雌雄の交歓があり種ができて次代へと受け継がれます。

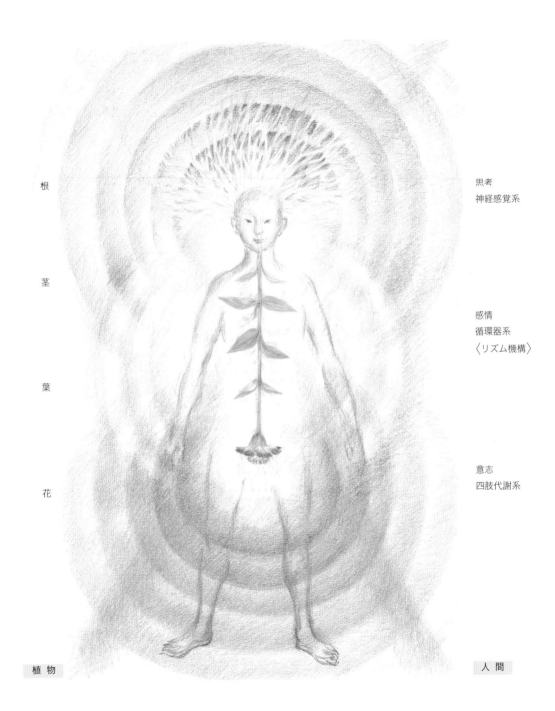

根

茎

葉

花

思考
神経感覚系

感情
循環器系
〈リズム機構〉

意志
四肢代謝系

植　物

人　間

Ⅴ　四大元素と四つのエーテル

自然界に働く大切な要素としての 四つの元素・四つのエレメント―火 (熱)・風 (空気)・水・地―とは、自然界の森羅万象を作り出している原理、理念（イデー）です。この考え方はギリシャ時代からありました。古代ギリシャでは、実際にはこの四つの元素に加えてエーテルという五つ目のエレメントを加えていました。エーテルとは、いわば≪永遠なるもの、限りなくめぐるもの≫という意味で、四つの元素を生命的に循環させる働きをいいます。

火とは熱と同義であり、全ての始まりであり、終わりです。植物では、花をつけ実や種になるところに火は働きます。

風は拡散的で基本的に作用が外に広がっていて、植物では葉の部分に主に働いています。

水は朝露に見られるようにいつも球形になろうとしています。また流れの中では連続的に変化し、水の表面は静かな湖水を見ると解るように鏡のようです。左右に分かれる傾向を持ち、連なり、またリズムを持って動きを伝えます。植物では茎や葉脈を伝ってその植物全体に流れています。

地は抵抗があって、重さと関連があり、力は中心から外へと及んでいます。
植物では根に顕著にその働きが及んでいます。

シュタイナーは『宇宙進化論』『神秘学概論』の中で、生命の始まりには熱があり、そこから光が生まれ、光と空気 (風) とに分かれると言っています。光はより精妙で軽く、空気は濃縮していて重さを持ちます。次の段階として水が生まれます。水のあるところには、精妙化して音を成り立たせるもの、規則的なリズムをもった、分かつ働きのものがあり、やがて地として固まれば、それはもう一度生み出す生命の元となります。そしてそれらは循環するものとなります。それぞれを熱エーテル、光エーテル、音エーテル（化学エーテル）、生命エーテルといい、四つの元素と、より精妙で生命的な四つのエーテルによって

自然界は成り立ち、その相互浸透によって生命を生み出し、活動していることが明らかになります。

元素は中心から、エーテルは周辺から作用し、前者を「中心諸力」、後者を「周辺諸力」といいます。44ページの図は元素界(物質界)、45ページの図はエーテル界を現わしています。物質は中心から外に向かう力であり、エーテル界は周辺から働く力です。エーテル体の体現者である植物はその姿の中に、隠すことなく、四つの元素と四つのエーテルという二つの力の働きをシンプルに表しているのです。植物を元素の側から見ると、**根は地**の元素の要素が強く、したがって固く乾いています。**茎や葉の葉脈は水**元素とのつながりが深いことがわかります。水分は地中から上に茎を伝わって葉の葉脈のすみずみまで流れていきます。**葉は風**に乗って広がり、ひらひらとそよぎます。一定間隔を持ち、時に二つに、三つに、あるいは五つにと分かれて数との関係も示します。また長短長短、あるいは長短短長短短などのリズムを生み出します。**花**には**熱**の要素があります。実際に花の中は他の部位に比べ2〜3度温度が高いことも指摘されています。また結実は、変容させ凝縮させる熱の働きがあればこそです。

では、そのそれぞれに異なる形態、形姿は何に由来するのでしょうか？
シュタイナーはエーテル体をいわば物質体の**建築家・設計者**に当たると示唆しています。つまりエーテル体は形態・形姿を形成する諸力の源といえます。エーテル体は「時の体」でもあります。時とともに変化し、生命界を映し出します。

常に動いているエーテル的形成力の固有の領域では純粋に力であり動きであるもの、それは地上の物質の世界では、静止した形態として、例えばバラとして、あるいはユリとしてそれぞれ異なる特徴的な形態をもって存在しています。バラやユリの形、あるいはカタツムリやリスやクマ‥人間にいたるまであらゆる自然界に現象している事物、それは動から静に到った形成力の現れなのです。それを与えているのは"星々である"とシュタイナーは言います。

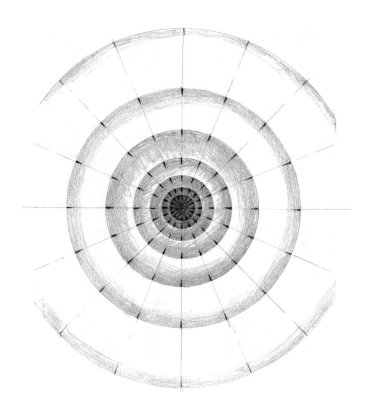

地球的中心点を持つ物質的な形成諸力 『空間・反空間のなかの植物』より

太陽的中心点を持つエーテル的な形成諸力 『空間・反空間のなかの植物』より

特に七つの惑星（太陽、月、火星、水星、木星、金星、土星）は地球との関係の中でそれぞれ特有のリズムをもって、また惑星間のつながりと調和をもって軌道を描いています。

古代の叡智が示す中世の絵や、52ページのような図があります。十二星座が働きかけて、胎児の成長に関わるというものです。十二獣帯の星座－牡羊・牡牛・双子・蟹・獅子・乙女・天秤・射手・山羊・水瓶・魚－それらの動きが与える働きは動物や人間の形態を作り出し、意識を生み出すもとになっているということを伝えています。それがアストラル界です。アストラルは星々の世界を表わす言葉です。

エーテル体の体現者である植物においてアストラル界とのかかわりは、花の領域において強いといえます。花の部位にはアストラル体を持つ昆虫たちが好んでやってくることで、そのアストラル界とのかかわりは明らかです。特に蝶は、花になりたいくらいに色とりどりの美しい色合いの薄い羽根を付け、花の周りをひらひらと舞います。また花は、ゲーテの言う"植物はすべてが葉である"という言葉からは想像しにくいほど、様々な鮮やかな色合いを私たちに見せています。色彩はアストラル界からの贈り物です。エーテル体の体現者である植物ですが、それでも物質を伴って目に見えるように地上に存在する場には、アストラル諸力がエーテル諸力を刺激して、エーテル諸力から形成諸力を生み出しているのです。シュタイナーはこれらのさまざまな力の全体を"星々の内で輝き、星々を通して響く、宇宙の言葉"だと語っています。

元素とエーテルを描くー白黒線描画

エルンスト・マルティ著『四つのエーテル』(耕文舎叢書8)をテキストとして私たち〔描く場・漣〕では勉強会をかさねてきました。あらためてよく読み込んだ後に、二人一組になり、二人で各々役割(元素を担当するか、エーテルを担うか)を決めます。そして「火ー熱エーテル」「風ー光エーテル」「水ー音・数・化学エーテル」「地ー生命エーテル」の順に描画します。

まず元素の役割の人が用紙の上に先に手を入れます。コンテを使って、火の要素を内側から描いて行きます。数分経ったところで、今度はエーテルの担当のもう一人がコンテで熱を外側から描き入れていきます。

数分経ったところでまた元素の担当者が描く、それを繰り返していきます。

そこにどのような画像が現れて来るか、本人たちは予想もつきません。各々が火なら火、熱なら熱、という自分の役割のそれぞれの本質を受け止め、想像力を働かせて、自分の内部に火なら火、熱なら熱、そのものになった気分を高めて、ひたすらコンテが生み出す一つひとつのタッチ、一つひとつのストロークに想いを込めます。描いている本人たちは、これらの概念を全て理解したうえで、描いているのではありません。むしろ描くという行為を通して理解しようとしているのです。

☆このワークは、イギリスのトバイアス絵画造形療法士養成機関で講師をなさっていた
　レギーナ(Regine Kurek)さんの講義からその捉え方と手法に多くの示唆をいただきました。
　レギーナさんは現在カナダ Ontario で Arscura School for Living Art を主宰しています。

① 火—熱エーテル

火と熱エーテルは一つの流動体であり、一つのまとまりです。火と熱は時間として生まれ、熱が時間を生じさせました。火元素は知覚世界から消えていく存在であり、熱エーテルは現象界にあって、生み出し、成長させ、熟させる存在です。熱エーテルは生まれていく時間、火は消えていく時間です。

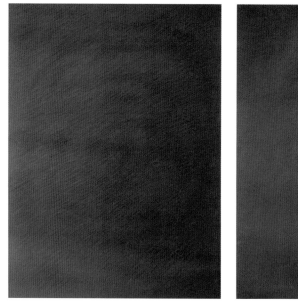

黒い用紙に黒コンテ、内側からと外側から交互に描く

② 空気―光エーテル

光は方向性を持っていて、放射し直線的に進みます。光は固く分離が可能です。光は吸い込む
ものとして、外側から事物の空間領域を現象させます。植物の成長過程にそのまま表れているよ
うに、光が外側から吸い込む力によって植物は成長します。空気元素の張力と圧力は、外から地
球を圧し、中心点へと向かいます。周辺は光の本質にかかわります。

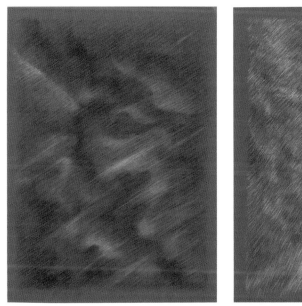 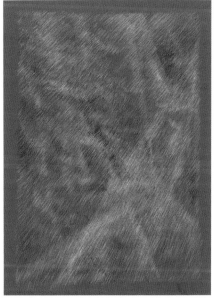

グレーの用紙に黒と白コンテ　黒は風、白は光エーテルとして

③水─音・数・化学エーテル

水は徹頭徹尾連続体です。逆に音エーテルは不連続で、飛躍・分離・隔てる力・区別する力に基づいています。音エーテルは成長力に働きかけて均一性を分解して各々を成長させます。そしてそこには数と数比があります。感覚・分裂・倍増・掛け算・割り算が生じます。木々の樹冠形成・植物の分岐・分離・受精と細胞分裂(有機体の基礎事実)は音エーテルと水の関係を示しています。水は密で、音エーテルは緩く、重さは克服されています。

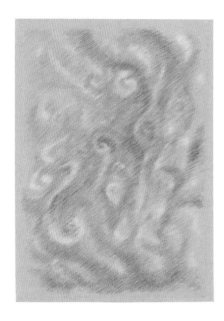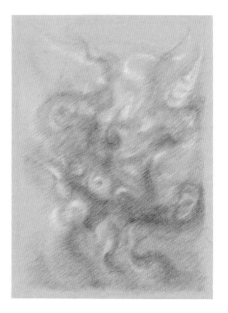

薄いグレーの用紙に黒と白のコンテ　黒は水、白は音エーテル

④ 地―生命エーテル

生命エーテルは活性化を促し個別化する力で、内的な活動性の原動力です。
一方地元素は固体です。拒絶的で外に向かって自身を主張し、表面を持ち、分割可能
です。石やチョークのように落とせば割れますが、質は変わりません。生命エーテルは
補い全体性を生み出す原理です。私たちは一人ひとり皮膚の内に完結した全体を形成
しています。健康な皮膚の内に形態を内側から形成する力を持っています。

―― エルンスト・マルティ「四つのエーテル」より

白い用紙に黒と白コンテ、地と生命エーテル　地は黒コンテ、生命エーテルは白コンテ

51

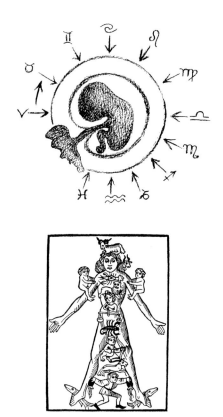

E・マルティ《エーテル的なもの (Das Aetherische, Verlag Die Pforte)》より

VI 形が生まれる―フォルメン線描

自然界には形があります。形はどのようにして生まれるのでしょうか?

17世紀のドイツの天文学者ヨハネス・ケプラー[8]はその著『宇宙の調和』の中で“神は宇宙創造の始めに迷うことなく**直線と曲線**を選び出した。それをもって造物主の神聖がこの世に描き出された”と書いています。

一本の垂直線が天の一つの星から私にそそがれる光のように、降りてきます。それは頭頂からまっすぐに私を貫き、足元をとおって地中深く地球の中心まで射しこみます。それは私たち自身を「私の中心意識」へと促します。そして植物においては正に**霊的な杖**(8ページ参照)として現れています。また水平線は、遥かかなたの左方向の空間からやって来て私を通り反対方向に向って消えていきます。しかししばらくするとやがてまた左方向から現れ、再び右方向に消えます。これらの垂直と水平の基本線が、屈折したり伸展したりして、揺れて湾曲し、短長、長短長、長長短、短短長…といったリズムとともに動きます。やがてむすびを作り、ひっくり返り…色々な形を産み出します。

自然界の形は刻々と変化しています。空の雲の形に、様々な動物たちの姿を見つけて遊んだ子どもの頃の記憶は共有のものです。雲は風に流されて形を変えていきます。山が地震や噴火によって陥没したり隆起したりして、短時間に変形してしまう場合もあります。川の蛇行が流れを変え、風や水が岩を削り…といった形の変化はいつも時とともにあります。

私たち人間も動物も植物も成長し、やがて衰えを迎えるまで、外的な形も変化し続けます。特に植物においては、一日の時間の中で、また一年の季節の中で、時とともにする変化は顕著です。一本の草花の中につぼみから開花した花、枯れた花まで目にすることができることもあります。よく見ていくと、それら

*8 ヨハネス・ケプラー(1571〜1630):ドイツの天文学者、数学者、自然哲学者。天体の運行法則、楕円軌道を発見「ケプラーの法則」を唱えた。

は必ずある流れの変化の中にあって、シュタイナーの言う“形とは静止した動きである”というその動きを辿ることができます。そして夜空に輝く星々の軌道をめぐれば、それらは宇宙に美しい調和的な秩序だった幾何学模様を描いている事が解ります。その模様は花、つぼみや種の形に見事に現われています。

次ページに形作る動きの例を示します。

フォルメン線描は、シュタイナー教育や芸術療法においてオイリュトミー[9]と並んで特に特徴的なものです。フォルメンFormenとはForm＝形の動詞化であって、シュタイナーによる造語です。シュタイナー教育の中では、文字を学ぶ前に直線と曲線を体験するということをはじめ、五年生まで一つの教科としてフォルメン線描を集中的に学びます。そうすることによって、形態世界に対する感受性が育ち、大地と宇宙を結び付ける自然形態を生きいきと理解するための器官が育ちます。そして教師は、その形態の必然性をもって調和と秩序にみちた宇宙法則を示し、子どもたちを社会的道徳力育成へと導きます。

フォルメン線描は呼吸にまでその作用は及びます。しだいに体液の流れが整えられて、心も生きいきと調和的になる事が感じとれるようになります。そしてその形の中に働く動きの体験は、想像力を育て、自然と芸術を亨受し、私と世界を結ぶ出発点となるのです。

*9　オイリュトミー：シュタイナーによって創案された“見える言葉、見える音楽”としての身体運動芸術

一本の線が

揺れて

一定のリズムを刻み

巻き込み

結びを造り

やがて

調和へと運ばれる

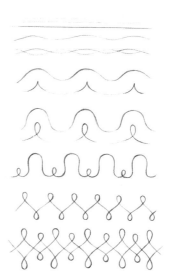

ノブキ

VII 色彩が生まれる

自然界は常に色彩も伴っています。シュタイナーは"色彩は地球の魂"と表現しました。植物の主体を成す葉の緑は誰が見ても特徴的です。ゲーテは『色彩論』において"色彩は光と闇の間に生まれる。光の代表としての**黄**と、闇の代表としての**青**を色の原現象と捉え、その間にあらゆる色彩は生まれる"といっています。植物の緑は、その光の代表の黄と闇の代表の青が混じり合えば生まれます。

透明水彩を使い、黄（レモンイエロー）と青（プルッシャンブルー）の色だけで描いてみましょう。

まず青で画用紙の下から上に向かい、だんだん薄くなるように絵の具で描くと、それだけで青という色は、画面の中に距離を持たせてくれて遠近感が生まれます。また、形づくる働きが感じ取れます。画用紙の上の方を残しておいて、白いところから黄を入れます。

黄が少し入っただけで、画面がぐっと明るく、光が射したことがわかります。

黄色という色の働きは一目瞭然です。黄が青にだんだんと近づき、やがて青の上に黄を重ねていきます。黄と青が混ざり合い「緑」が生まれます。すると、不思議と呼吸が楽になり、安心感が生まれるのです。

また、さまざまな緑の色調が、自分の筆の先からつぎつぎにうまれることに、描いている私たちは楽しい気分を味わいます。そのように緑という色は私たちを活きいきとさせ、平安をもたらします。

そして植物は成長の結果として、更に様々な色合いをもって、開かれた空間を持つ花を咲かせ、また様々な色の閉じた空間を持つ実をみのらせるのです。

画面下方に青(闇の代表)を置き、
上方にその色をだんだんに薄く
なるようにひろげていく。
空間が広がり、そこに何かが
生まれる予感と憧れを感じる。

上方から黄(光の代表)を入れる。
明るくなった画面に希望と喜びが
もたらされる。

上方から入れた黄を青の上に重ね
のばしていく。すると緑があらわ
れる。平安が訪れ、
そこに安心感が広がる。

筆を動かして波立たせるようにすると、
そこにゆらぎが生まれ、
山や谷、草原、林が
おぼろげに現れて来る。

赤を黄の上に入れる。赤は光の
もととなる熱を持っている。
熱の赤は紙面の下方では
青に重なり紫になる。
そこには平和で調和的な虹色の
世界が現れる。

上にあった赤は、蝶々のようになって、
緑の傍に、あるいは中に留まる。
それは花。

蝶は花に、花は蝶にあこがれて
R. シュタイナー

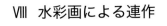

Ⅷ 水彩画による連作

私たちが夏合宿を始めた20年前は、ほんの試みでしかなかった《連作》です
が、参加者達の希望もあって毎年続けてきました。出来上がった絵は、
100人展などに展示されたあと、所有者が特定されないために、私の手元に
全て残っており、今や引き出しを占領した状態で、眠っています。

《連作》では私が予め人数にあった詩を選んでおき、段落などで分けて、
ワン・フレーズごとにまずは一人ずつが担当します、全面に色が回り、おおよ
その雰囲気が描けたところで、席を替わり、一定時間ごとに順送りにしていっ
て、全ての絵に全ての人の手が入る、という手法を取っています。最後に自分
の最初に担当した絵の前に戻った時は、当然ながら最初に自分の描いた絵
と全く違うもの ── とはいえどこかに自分の痕跡もとどめた絵 ── を目にする
ことになります。そしてそこにもう一度自ら筆を加えます。そして全体を見渡して
みます。

20年前にこの手法を始めたころは私も手探り状態でしたが、毎回参加者た
ちが非常に興に乗り、集中し、なおかつ満足することに気がつき「これがした
くて、夏の合宿に参加する！」という声も多く聞かれ、毎年恒例のことになり
ました。ここで参加者が体験するのは、すでに描かれているものを生かしなが
ら自分が介入する、という体験です。「他者を受け入れ、小さな自分を超える」
あるいは「自分を大切にし、他者も大切にして、調和を見出して一つのことを
成し遂げる」「一人ではできないこと、人々がいて初めて成し遂げられること」
「自分の欠点、弱さを超えて、人と繋がることができる喜び」つまり「わかっ
ていても超えられない自分の欠点を、人を受け入れることで越えられる」「協
働して一つの物を仕上げる喜び」があります。これは本来《人》として誰でも
が欲していることだと改めて納得します。

一般的には個人性の強い芸術といわれる絵画の場で、このような《協働性》
が生まれ、はぐくまれてきたことはうれしいことです。自分が想いを込めて描い
た画面に人の手が入るということは、自分にとって気に入っている部分であっ

ても、他の人にとっては一筆で変えてしまうことができるということでもあったりします。横目でそれを見ながら、湧いてくる自分の感情を抑えて、今、目の前にある画面に集中しなくてはなりません。また、時には自分には想像もできなかった色や形が入り込んでくることもあります。そうしてだんだんと各々の持ち場が替わり、最初の絵がどのようであったか忘れたころ、戻って来た自分の最初にいた場所には、自分が描いたものとは違う画面が待っています。そこに在るのは、みんなの手が入って、想像すらできない深みを湛えた絵なのです。またそこでは、みんなの意識が広がったことを生かして、全体を見まわし、隣同士の絵をつなぐということもしてみます。そうすることで全体の一体感も生まれます。

そしてそれらが各々に納得され、深く体験されたなら、その後の活動へのあらたな一歩のための原動力となるような大きな恵みを得たことが実感されるのではないでしょうか？

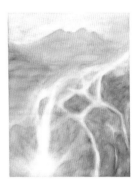

ぎりぎしのそびえ
水の落つるをはばめば、
憤り泡立ち
岩かどより岩かどへ躍り
淵へ落つ。

なべての星、
顔を映し若やぐ。

平なる河床の中せせらぎて、
牧場の間なる谷を忍び行く。
やがて鏡なす湖に入れば、

風こそは
波の愛人。
風こそは水底より
泡立つ波をまぜかえす。

人の心よ
げになれば水に似たるかな！
人の運命よ、
げになれば風に似たるかな！

藤田・篠・中村・伊藤・村上・岩田・早矢仕　画

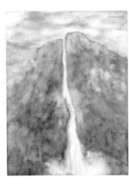
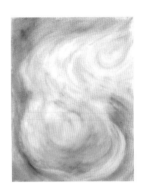

連作　水の上の霊の歌

J.W. ゲーテ　高橋健二 訳

人の心は
水にも似たるかな。
天より来たりて
天に登り。
また下りては
地にかえり、
永劫つきぬめぐりかな。

一筋清く光る流れ
高くけわしき
絶壁より流れ落ち、
膚なめらかなる岩の面に
とび散りては美わしく

雲の波と漂い、
軽く抱き取られては、
水煙に包まれては、
さらさらと波立ちつ
谷間に下る。

IX　協働について　その可能性　－座談会－

協働について その可能性

私たちの植物観察は、常に数名で構成されるグループでなされてきました。

三人くらいの構成のグループは本当にありがたいものです。時に「一人だったら、どんなにやり易かったか」と思えることもあります。しかし他者の恩恵を知れば、そんな考えはすぐに吹き飛びます。私たちはこの植物観察の中で、また夏の合宿の中で水彩での連作（66ページ参照）や、白黒コンテの描画（48ページ参照）を協働制作しました。

植物観察のグループの良さについてはお伝えしましたが、連作については「参加者たちの力量がある程度揃っているからできることなのではないか？ 初めて水彩を体験するような人々でもそんなことができるのか？」と問われることがあります。しかし色を主体として流れさえつければ、色の本質が人の心を動かし、あまり経験が無くても、雑多な集まりでも、連作は可能なのではないか、と私は思います。色の力はどんな人の心にも届くものだからです。

正しい指導があれば、色彩の中で遊び、味わい、調和を持って、他者と繋がることが可能な方法であって、絵画の新しい社会的な在り方なのではないでしょうか。

芸術だからこそできるこの方法は、心が解放され、人と繋がり、利己的な欲を制御して、少しずつ視野が開かれていく体験へと人々を誘います。そしてこの体験は、きっと日常生活の中でも活きてくるものになると思います。

そんな積み重ねが、私たちを少し成長させ、また社会を少しずつ変えていく力になるのではないでしょうか。

植物観察のメンバーによる座談会 2018 夏

司会： おはようございます。これから座談会を始めさせていただきます。
さて、私（イザラ書房村上）とデザイナーの赤羽さんはシュタイナー・ゲーテ的
植物観察法の基礎知識がありません。ですからシュタイナーのことがよくわ
かっている人に話す言い方ではなく、そういったことを全く知らない友達に
説明してあげるような感じで、まずは植物観察の協働作業のことを教えてい
ただけますか？

中村： 合宿所の奥には森があって、そこで自分達の気に入った植物を観察するために、
何人かでグループになったのが最初だったと思います。まず植物を観察する
三つの観方（19ページ参照）を吉澤先生が説明してくれて、それで見ていく
ことになりました。

司会： 三つの観方はどのグループにも共通することですか？

吉澤： はい共通項です。

岩田： まず初日には、選んだ植物を実際に見に行って、グループのみんなと最初の
印象をシェアして、一晩眠って、
翌日、思い出しながら描きます。
その後また実物を見に行くと、
違う見方で観られるようになっ
ていて、昨日思わなかったこと
がまた新たに出てきて、そこで
またシェアをすると、なんか、
こなれていくというか、だんだ
ん本質に近づいていくような、

印象というものが近づいていく。そんなことを日々積み重ねていきました。

司会： その「一晩眠って」というのは、シュタイナーの基本的な考え方の「寝ている時にいろいろ助けがきて」というのがベースにありますか？

吉澤： ありますね。一度忘れることが必要です。でも必ず残っているものがあります。忘れる事柄と忘れない事柄に振り分けられて、より鮮明になるということです。また、昼間に深い思考活動ができていると、翌朝全く新たな考えが浮かぶことがあります。

早矢仕：一日経って見ると全然違って見える、本当に違って見えるんですよ。日々違う新しい目で見るっていうことをします。

河野： 私は一度合宿に参加できないことがあったんです。でもうちの玄関のプランターにもつゆくさがあって、それを私はひとつ選んで、ずっと観察していたら、ちょうどみんなが合宿に行っている時に見ていた花が咲いたんです。一人でそれを観察して描いていたわけではなくて、みんなでつゆ草を見てるんだなと思って、つながりを感じて感激しました。

司会： 人と人とのつながりというところがすごく大事になってくるんですね。

小林： そうですね。思いかえしてみると最初は、ほとんどお互いを深く知らずに、なんとなく始めたんだよね。だからやっていく中で、お互いどういう感覚で描いているのかとか、どういう感覚で物を見るのかということを共有していく時間の積み重ねで、相手の感性を非常に信頼するという部分が生まれてきたのかなと思うんです。

村上： 協働作業をする時に、植物に対する第一印象というのは確かにみんな違うことを言ったりするのだけれど、一人だったら絶対にない印象を他の人からい

ただけたり、誰かと同じ印象の所はすごく安心したりして。そうして、みん
なで丁寧にていねいに植物に出会って行けば、必ず一人よがりな思いは正さ
れる。一人の思い込みじゃない強さが協働作業のありがたみだなって、そん
な感じがします。

篠　：　ある時、大きな紙をぬらして三人で同時に色だけで描く試みをしたんです。
　　　　他の人達の呼吸と動きを感じつつ、画面空間全体がひとつの動きになるよう、
　　　　自分の呼吸や動きを合わせていきます。そうすると、個の意識にとどまらず、
　　　　大きな命の流れと一緒になる、その瞬間がなんだか宇宙の中の小さなわたし
　　　　を感じた時間でした。

 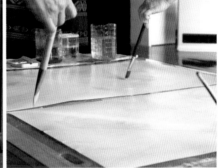

司会：　協働作業っていうのは　そういうすごく大きなものがあるんですね。
　　　　だから先生がおっしゃっていたように自分にとっての生きていく力になる。
　　　　宝ですよね。

吉澤：　私の絵画クラスはあちこちにありますが、絵画クラスに来て描いているだけ
　　　　では、そういうものにまでは至らないのね。もちろんそこでいつも顔を合わ
　　　　せる人達は　自然にある一つのつながりって見出すけれども、そこまでの密
　　　　接なものにはなってはいきません。一年に数日だけれども、一緒に生活して、

そういう作業も一緒にやってということで、つながりがだんだん深いものに
なって、ごく自然に培われてきているっていう感じですよね。

小林： それぞれの植物観察の密度の高まりに関しては、先生はどちらかといえば、
見守っていて、合宿の発表ごとにそれを深めていく。そういう感じはあった
かなーと思ってました。合宿の最終日にそれぞれの今回の成果を発表すると
いう時間があって、「うちのグループではこういうことが起こりました」とい
うことをみんなに見せる。その時にお互いに観方とか、やり方があまりに違
ったりして、「おー！」っと驚いてしまう。

吉澤： みんな他の人達のやったものに、ものすごく刺激をうけるんです。

河野： 「えっ、そうなの！？そんなこともあったの！？」みたいな。

吉澤： 例えば、どのグループも自分たちで盛り上がって、自分たちだけで面白いお
もしろいってやってるじゃないですか。そこで他のグループの人達の描いた
ものや観方や、やり方を見せてもらう。そうするとね「そんなのあるんだ」
って。そして次の自分たちの課題がはっきりしてきます。

司会： そうなんですね。ではそれぞれのグループのやり方を聞かせて頂けますか？

藤田： 何年にもわたって観察を続けて来て「みんなで学ぶって楽しい！」そこから
導き出される植物の振る舞いや叡智に触れて、何度も心が震える喜びを感じ
ました。そしていよいよまとめの作業に入った時は「生みの苦しみ」というか、
どうにもまとまらない。お互いの息があっていない、認識のずれ、‥‥
そしてそんなことがこんなにも重いのか、と、思いました。

中村： 他のグループの人達は時々会って意見交換や確認ができていましたが、私達
のグループはそれぞれ住んでるところが遠かったので、合宿でしか会えませ

んでした。合宿では前の記憶を辿って確認しあうだけで終わってしまうので「お互いの思いを知るためにも連作が描きたいよね」という話しになって、連作を描いてみました。そうすると、私たちってこんなに違ってるんだってことが見えてきた。

長瀬： この夏の終わりはちょっとつらかった。どーしようかなーって状況で終わってしまって。その次の夏までいろいろ話し合って、今までのことを共有してみようと集まった。そこでお互いの想いが共有できたので、その時に描けたのがこれです 。

フシグロセンノウ　一年のめぐり

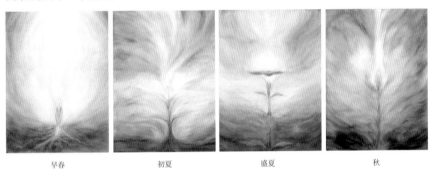

早春　　　　　　　初夏　　　　　　　盛夏　　　　　　　秋

岩田： 私は遅れぎみで、皆の話についていくのが大変でした。そこで課題の植物のある場所の近くに住んでいる地の利を生かして、朝行くこととか、ちょいちょい見に行くこととか、自分にしかできないことをしていたら「あぁ面白い、こんなに面白くて、こんなにすごいんだ植物は」というふうに植物に感動しました。

司会： ありがとうございました。では次のグループお願いします。

村上： 植物観察をするときの協働ということで、私の中で一番おおきいのは、大好きな対象を私以外の人も知っているということだと思っています。同じよう

にリアルに、自分の友として語れる人達がいる。それが一番の協働作業の醍醐味じゃないかな。そして私がもっとやりたいと思って求めているのは、植物の背後にある目に見えない力とか、エーテル的な空間、それは光との関係だったり、天界のなかの法則性や見えない流れとか、空気とか、そのもの自身、この植物がなぜここにあるのか、そこまで本当はわかりたいって思っています。

小林：　植物の本質って何だろうとか、植物観察の最終地点って一体何だろうとか、何処に向かって行くんだろう私たちは？みたいな問いがいつもあって、そういう問いは、これからも続くんだろうけれど、結局は本質に到るために、ど

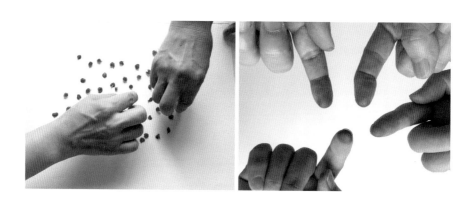

ういうプロセスを踏めばそこに光を当てられるのかって、手を変え品を変え様々なアプローチをしているというところです。ある時、あらためてツユクサに触れるところから始めようと、みんなでたくさんの花びらをおいてみたんです。みんな無言で、花びらに指先で触れて‥そうしたら本当にとけるようにつゆ草の花びらが無くなっていく‥‥そこには色だけがある、物質が無くなる瞬間を体験できたんです。　その時「私が体験したかったのはこれだ」と感じたのね。美しい行為がそこにはあった。だから美しい絵を描くだけが目的ではないです、私にとっては。もちろん美しいものはいいんですよ。美しくなければ到達できないものがあるから。でも、いろいろみんな切り口はちがって良いのだと思います。

司会：　ありがとうございました。では次のグループお願いします。

伊藤：　みんなと協働ということじゃなく、人とかかわるっていう意味でのコメント
なんですけれども、10年くらい前、私は子育て中で、自分の子をあんまり見
てない状態で育てていて、すごく大変だったんですよ。そこで、それを植物
観察のやり方みたいに、子どもをだまって見つめる、観察する、というふう
に変えていったとき、子どもがすごく変わってきて、これは観察のおかげだ
って思いました。

司会：　確かに、よく見る、だまって見つめる、って子育てにも共通しますよね。

早矢仕：私はいろんな視点が自分の中でも変わってきて、一時、植物観察のグループ
から抜けちゃったんです。だけど、お花にこだわらないで、その咲いている
状況だったり、お花の終わったあとの姿だったりを、もしかしたら本当はそ
ういうことをちゃんと見ることが、今の自分には必要かもしれないなと思っ
ています。

飯島：　私は、最初は全くどうすればよいのか分からずにいましたが、みんなと段々
作業を続けるうちに、植物が見せてくれる法則性とそこに働きかけている力
を発見できるようになって、「見える世界と見えない世界の繋がり」を感じら
れるようになりました。そ
してそれは段々私たちを生
かしてくれている存在への
信頼と感謝になっていった
と、今は思います。

吉澤：　実は私もこのグループのメ
ンバーなのです。私が植物
観察のメンバー入ったのは

初めてです。それまでみんなの面倒みるのにまわってて。

小林：　このグループに関してですが、私は傍から見てて、この写真（前ページ）が
　　　　すべて物語ってる。先生も植物観察やるようになって、もう絵描くとき本気
　　　　なんでいつも。人のことかまわない。必死でやってるから。話かけられない
　　　　くらい必死で、合宿中なのに、みんなのこと忘れてて関係なし、こんな写真
　　　　とれて良かったと思いました（笑）。

司会：　さあ、では最後のグループです。二人のチームなんですか？

小橋：　二人ですね。お話しにあったような協働作業は殆んどなく（笑）。

桃原：　私は一緒に観察をしながら、二人の性格的な違いを随所で感じました。
　　　　今思い返してみると、本来私は「私の考え、私のやり方」を押し付ける傾向
　　　　があって、そういうところから一歩引いて「他者の視点に身を置いて物事を
　　　　見たり、考えたりする必要性」を感じるためにこの植物観察に参加したのだ
　　　　ろうと思います。

吉澤：　協働という場では、私たちのように何年間にも亘って進めてくるとどうして
　　　　も必然的に、各々の「個人性」が明らかにされてきます。そしてその中でど
　　　　のようにお互いの関係性を築いていくのか？自分の考えも主張しつつ、他者
　　　　をどこまで受け入れられるか？が課題になります。二人の場合には対立性
　　　　が現れてしまうことがあるのです。そこで、私は3名のグループになるよう
　　　　推奨していますが、この方たちの場合は、私が二人というケースを許してし
　　　　まった、という反省が実のところあります。このグループが観察したのは
　　　　「ノブキ」ですが、これは水辺の植物で水との関係が深いのです。彼らが描
　　　　いたフォルメンが素晴らしいのですよ。まるでイスラムの建築などにあるよ
　　　　うな模様になっていて、私はそれを見てイスラム文化は水への憧れがあの文
　　　　様になったのかも知れないと、想像力を刺激されました。(105ページの画)

司会： そうなんですね。他に何かありますか？

赤羽： 協働で植物観察をするということに、とても驚きました。植物の色やかたち
を単にスケッチするのではなく、協働で観察することで自分以外の視点を取
り込み、印象をシェアすることでどんどん視野がひろがっていく。その内面
をも観察していくのですから、とても奥が深いですね。

司会： 植物観察って、この場だけで完結するのじゃなくて、もっと世の中に広めた
いですよね。さっき伊藤さんがおっしゃったように、子育てにもとても活か
せる。また人間関係の中にも生かせる。その通りですよね。観察することが
とても大事というのはいろんなことに当てはまるから……。

吉澤： 私は、いわゆるシュタイナー教育の先生になりたい人達とか、土曜クラスを[3]
やりたい人達の為の教員養成の講師をしているんですけど、その中で、一度
は5日から7日間くらいの日にちがとれるような夏などに、そこに植物観察
を入れています。当然ながらシュタイナー教育に興味はあるけれど下地が無

*3 土曜クラス：全日制のシュタイナー教育を受ける機会のない子どもたちにも、
　　シュタイナー教育に触れさせたいとの思いから、週末などを利用して各地で開かれている。
　　横浜シュタイナー学園は土曜クラスから発展して全日制の学校となった。

い人達が多いですから、最初は「何やらされているんだろう？」みたいな
感じでやっているんですよ。そうはいっても、そこは講座の場ですから。
「このような順序で、ちゃんと観てください。一日じっくり観察してみて、
記述してください。何となく見るのではなく、記述してください。植物は、
今はこういう風にある姿をしているけれど、これは一つの芽が出て、こう
伸びていって、今こうなったんですよ。だから下から観てください」とい

うように説明します。まずグループ分けをして、それで 一日目はずうっと
観て、その後グループの中で各々シェアをして、「そうかそうかよく観て
なかったところもあったな……」とか言いながら記述します。そして翌日、
まず外に出る前に「色えんぴつを使って、観てきた順序で、下の方から思
い出しながら描いてみましょうか」とやってみると、本当に描けるんですよ、
ちゃんと。

教員養成講座の中でのことですが、自分は絵を描くのが下手だから描くの
は嫌だと言っていた人が、びっくりしちゃったの、描けちゃった自分に。

あんまり素敵に描けちゃって、ほんとにみんな魅力的！それぞれ、すごく魅力的な絵になっちゃうんですよ！その人は驚いて、すぐ写メを撮って友達に送ったら、嘘だって。嘘つくなって言われたって言ってましたけど、それくらい素敵に描けるの。それが、まず驚きですよね、誰にとっても。それだから、また次の作業に進んでいけるんですよ。それって、シュタイナー（ヴァルドルフ）の教育をきっかけに、色々な教室をやろうとか、先生になろうという人達にとって、やはり子どもを見る時とか人をみる時、絶対に生きると思うんですよ。それにまず、その辺に生えてる雑草を見て、こんなに嬉しいっていう体験ってない！ってみんな言うのね。やっぱりこれは生きている、自分もここに生きているっていうことの喜びにもつながるんですよね。それは感動しますよ。

小林：　あのゲーテの観察の手法、先生、あの手法を生み出したのは誰なんでしょうね。

吉澤：　基本はシュタイナーの思想ですね。シュタイナーはやはりいろいろな分野に示唆を与えた。それを具体的に深めたのは、例えば植物学ではゲーテアヌム[4]にヨヘン・ボッケミールという方がいますが、そういうシュタイナー死後の[5]一人ひとりなんですよ。

　ドイツのシュタイナー教育教員養成機関の授業の中で、「一本の木を一年間[6]

*4 ゲーテアヌム：スイス・ドルナッハにあるアントロポゾフィーの本部といえる場所。
　　精神科学自由大学と称し、世界中の各分野の総会や勉強会が年間を通して行われる。
*5 ヨッヘン・ボッケミュールJochen Bockemühl　1928年にドレースデンで生まれ、2019年1月没
　　博物学と生物学、化学と地理学を専攻し、1956以来ゲーテアヌムのリサーチ・グループのメンバー。
　　1980年以来、風景に関する講演でヨーロッパその他各地を回る。
　　著作:、Ein Leitfaden zur Heilpflanzenkenntnis, Erziehungsformen des Aetherischen,
　　Der Spitzberg bei Tuebingen、Erwachen an der Landschaft, など多数
　　「植物の形成運動」石井秀治　佐々木和子訳　耕文舎
*6 教員養成機関：シュタイナー教育の教師を育てるためのゼミナールがドイツやアメリカなどにある。
　　日本でも1992年より行われていて、ここからシュタイナー学校の教師も生まれて来ている。
　　この箇所ではドイツの教員養成ゼミナールを指す。

毎日観察する」という課題があったりもしたのですが、私の植物観察の方法は、むしろ芸術療法で患者さんと関わるときの観方が基本になっています。私が1999年那須に移住して、翌年から東京のクラスの方々が来て、合宿形式での数日間の講座をするようになったのですが、自然豊かなこの土地で植物観察をしない法はない、というのが発端です。それから20年間、毎年合宿を続けてきて、手法は私自身も模索しながら、参加者の方々と共に創って来た、というのが本当のところだと思っています。そしてここ数年「これはもっと一般的になるべきこと」という私の考えがあって、なおかつ私たちは「絵を描く」という主軸があって、この植物観察をある意味で見せられる手段を持っている。そこでこのように本を出すことにしました。植物観察の本は一応私が書くけれど、みんなもただ協力者というだけでなく、著者の下に名前を入れたい、そうすれば、それぞれがそこを踏み台にできるじゃないですか。そうして欲しいわけです。植物観察ってそんなにすごく専門的なわけじゃなくて、どこででもできることです。だれでもが身近な草花を題材にして、もうちょっとじっと見てみるとか、描いてみるとか、「やってみよう」という気が起きてきたら面白いじゃないかと思うんですよ。

赤羽：　時代的にはまさにこれから本当に必要なことですよね。
　　　　こんなにコンピューター時代になっていて、そればっかりになっているときに、アナログに観察して実際に手を使って描くことって、本当に大事なことだと思います。

吉澤：　なかなか一人ではできないけど、お友達とお茶飲んで話してるだけじゃなくて、植物を観察して描いてみるというような、そういう時間を重ねていく。この本がそういうきっかけになったらいいだろうし…。で、私が日本全国津々浦々歩き廻れるわけじゃない、ここにいる人たちは指導できるように育っていると思うので、派遣できるじゃないですか。そうなって欲しいなと思っています。

小林：　水彩による連作についての協働性に関しては、何か少し話しておいた方が

よいのではないでしょうか？植物観察の協働制作だけでなく、それは連作との、那須においては両輪だったんだということについて。

司会：　はい、お願いします。

吉澤：　これも芸術療法の手法のひとつなのですが、全く性格の違う人、しかも私的な関係もなんにもない人とグループセッションする場合、「ちょっと絵を交換してみる」ということをやってみる。そうすると違う質のものが入ってくるので、ある意味で自分が囚われているところから抜け出るきっかけになったりするんですよ。その手法をヒントに最初は遊び半分で「とりかえっこしてやってみない？」ってね。最初は二人ずつのペアになってもらって、描いた

絵を交換して手を入れてみましょうと、お互いの了解のもとにそれをやってもらった。そしたら「なんだかすごくおもしろーい」って言うんで、ではもうちょっと枠を広げてみようか？とか……。例えばちょうど十二人いたので、一日の2時間ごとを想像して描いてみようとか。あなたはお昼の12時から2時。2時から4時、4時から6時とか。その時間帯の色を想像してやってみようと、そんなことやったんです。それから季節。四人で季節ごとに分かれて、春夏秋冬。それぞれを担当し、一応完成となったところで春夏秋

冬を順送りに（春担当の人が夏に、夏担当の人が秋に……というように）次の絵に移っていく。最初にやったのはその辺ですね。その後は詩を選んで。最初の頃はみんながとっつきやすいだろうなーと思って工藤直子さんの「のはらうた」とか、いっぱいやりましたよね。

そのうちどんどんエスカレートして、ゲーテの詩とか土井晩翠とか北原白秋とかね。とてもおもしろいんですけど、解らない言葉もあって、むずかしくて。そういうのばかり選んでいました。解らなくてもいいから、何でもいいから、そこを突き進め、みたいな。無謀といえば無謀。でも絶対言葉だけではわからないところを「私達は絵を描くことで少しは近づいていけるんじゃないか」という考えが私にはあって。それでやってきました。

実はずっと私は見張り役だったのですけど、自分がすごく損してるって気がついたの。昔は見張り役が結構必要だったんですよ。（人の絵が）気に入らないっていって、すごく手を入れて、ほとんど消しちゃう人がいたり…。前に描いた人の絵をまず良く見て、尊重しながら自分はどこに加われるかっていうところに筆を動かしていくのがルールのはずなのに、自分と違いすぎるからって、がーっと手を入れすぎる人がいるの。あと、長い時間かけたら絵が変わりすぎるしね。だから見ていて「あ、この辺だ」ってところでチェンジ。そうやって替えていって…。だからずっと私が見張り役をやってきました。

司会： そして現時点では　先生の介入は必要ない程にみなさん育って。

吉澤： そうそう。
で、気がついたら私は一人だけ淋しい思いしている。だから「私も入らせてもら

います」って。三年ほど前から。

岩田： 人の絵に介入して絵を作るというのは、勇気がいることです。でも面白い。
　　　 怖かったけれど、もう一回やる価値がある、という感じでした。連作は毎回
　　　 やり方が違っていて、いつも新鮮でおもしろい。自分にとって新鮮であるこ
　　　 とと心を動かすことはすご
　　　 く大切で、楽しいって思う
　　　 気持ちがいつも動いていれ
　　　 ば、固まって描けなくなっ
　　　 ている人の絵の中にも入っ
　　　 ていける。そういうことを
　　　 連作の中に感じています。
　　　 みんなとの呼吸のようなや
　　　 り取りがすごく楽しい。

長瀬： 連作は（私にとっては）
　　　 恐怖心の克服だったんです。
　　　 毎年やるうちにそれぞれの人柄もわかってきて、少しずつ体験を積み重ねて
　　　 これたかなという感じかな。今でも全く怖くないわけではないけど、色が元々
　　　 苦手だったので連作をやることで色に慣れ、なじむ経験は大きかった。特に
　　　 去年のやり方はすごく新鮮で、色になりきって動いていくというのは本当に
　　　 楽しい体験でした。

中村： 連作は楽しくてわくわくするし、達成感や解放感をみんなで味わえるものです。
　　　 そして私たちは色で人とのかかわりを学んでいると思います。自分が描いた
　　　 絵の気に入っていたところが、みんなの手に渡って自分の元に戻ってきた時
　　　 には消えていたという時、自分の中に生まれる感情に自分がどう向き合うか、
　　　 そこで自分への問いが生まれます。色を一個ポンと置くだけで、そこから何
　　　 かが広がったり、違う世界に行けたりする。色を物質とか自分の記憶とかで

はないところで共有できている気がして、何かすごいことができているかもしれないという気持ちがある。連作が新しい試みで刺激を受け進化していく感じ。どこへいくのか、何を目指しているのか、答えはまだないけど、試み自体の方向性はすごくいいものじゃないかと思っています。

飯島：　私にとっての連作は「個として尊重されつつ、全体として作り上げる」という体験です。

吉澤：　課題として選んだ詩を、みんながどこまで理解したのかも疑問だけれど、少しでも元の詩の世界に近づこうとする思いがあって、そういう面白さがあるんじゃないかな。最初はほんとにその詩の中のひとつの単語であっても、ここならつかめるというところがある。それにしがみついてまずはやってみる。そういう面白さ、スリリングな驚きとともに味わえる感覚です。

司会：　予定調和ではないんですね。
　　　　理解していなくても描いてしまえ〜みたいな。

吉澤：　私の性格、計画性がないから。
　　　　（描く箇所も）くじ引きとかで決めちゃって。

「えー、これ？ なに？」っていう。

岩田：　何が当たるかわからない。

司会：　楽しいですよね。

吉澤：　楽しいと思うけど、結構つ
　　　　いてくるの大変な方もいた
　　　　とは思います。

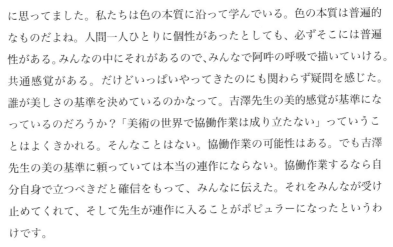

小林：　私は、美しさってみんな
　　　　何を基準に描いているのか
　　　　なって、批判ではなく純粋
に思ってました。私たちは色の本質に沿って学んでいる。色の本質は普遍的
なものだよね。人間一人ひとりに個性があったとしても、必ずそこには普遍
性がある。みんなの中にそれがあるので、みんなで阿吽の呼吸で描いていける。
共通感覚がある。だけどいっぱいやってきたのにも関わらず疑問を感じた。
誰が美しさの基準を決めているのかなって。吉澤先生の美的感覚が基準にな
っているのだろうか？「美術の世界で協働作業は成り立たない」っていうこ
とはよくきかれる。そんなことはない。協働作業の可能性はある。でも吉澤
先生の美の基準に頼っていては本当の連作にならない。協働作業するなら自
分自身で立つべきだと確信をもって、みんなに伝えた。それをみんなが受け
止めてくれて、そして先生が連作に入ることがポピュラーになったというわ
けです。

吉澤：　私は「先生」というのは全てが解っているから「先生である」とは思ってな
　　　　いの。まず教えることを通して生徒から学ぶことによって先生になる、とい
　　　　うことに実感を持っています。私はドイツに留学して戻って来たら、それだ
　　　　けでもう「先生」だったから。当時はまだ自分の中では中途半端で解からな

いことだらけで、その状況に戸惑いながらも、それでも学ぼうという意欲を
持って私のもとに来てくれる方々の希望に沿いたい、この私が素晴らしいと
思うことや多少獲得していることを何とか伝えたい、という強い思いがあっ
て、どうしたら伝えられるだろうか、と模索しながらやって来たのね。今振
り返ってみれば色にある普遍性、色彩や形の普遍性があればこそその、誰にも
ある偏りをお互いに出し合うことで、より生きいきとした関係性が築けるこ
と、そしてそのことによって一人ひとりの偏りも調和的になり、各々が輝い
てくることにも気がつきました。そこには当然ながらお互いへの信頼と小さ
い自分を超えていこうとする各々の意欲が大切です。私自身もより成長して
いきたいという思いはみんなと同じです。

小林： 去年、私と典子さんは色で描くということを提案したんだよね。色の十二色
＋水筆*7。それで描いたのがこれ。これをみんなでできたことは大きかった。
それは私たちの提案を先生が採用してくれたということ。そのあとも方法論
に関しても先生が色々提案をしてくれて、ディスカッションが可能な状況に
なり、皆の中でそれができるようになったのが今年かな。今も連作は何処へ
行くのだろうか…という疑問はあるけど、皆に対する疑問や不安や不満はな
くなってきたかな。

赤羽： これも一人が一色で？

小林： これは詩もなく、自分が持っている色一色だけで描いていきます。
まずは自分の目の前の紙に、例えば黄色を持っていたら「この辺に黄色を…」
と黄色として描く。（隣に）ずれた時、黄色を持つ人は、既に他の色がある
ところに入っていくことになります。それを繰り返しながら常に自分が色になり、
その色の法則性をもとにどこに入ったらいいかと感じながら色を置いていき、

*7 水筆：この担当者は水入れと筆を持っているだけで絵の具は使わない。
　　他の人が描いた色を延ばしたり、拡げたり、薄めたり、抜き取って白くしたりといった技法として
　　　一役ある。

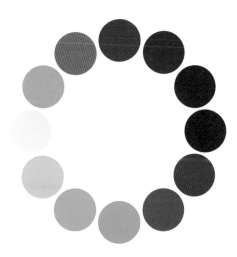

連作「一人一色・色から描く」

全部の色をめぐっていきます。抽象画とも違う。抽象画は画面全体の概念が
ある。これは色の法則性を学んできたみんなの色の感覚だけを頼りにその響
き合いによって描かれたものです。

赤羽：　他にはない手法ですよね。

小林：　これは信頼がないとできない。みんなが色のことを訓練しているので、でき
るってことはあると思います。私にとって連作は人を体験すること。協働作
業でやる絵画としてどういう可能性があるのか、ということを突き詰めたい。
でも、みんなに私の思いを受け止めてもらって描けるという状況がなければ
成り立たない。それを思うと、今こうして連作が描ける状況は幸せだと思い
ます。

村上：　信頼するかしないかは自分の問題。それはある意味チャレンジであって関係
性を作ることなんだよね。だから協働作業といっても、今出来上がっている
作品は、このメンバーとともに長い年月があってできたものだと思う。

篠：　　連作のワークから見えてくるのはグループの相互間のありかた、関係性です。

連作における詩に心寄せるとき、自分にだけとらわれていると全体が見えなくなり、相手も自分の領域に入ってこられません。全体へのイメージを共有し、メンバーの呼吸が感じられる関係であるなら、生きいきとした芸術空間へと向かう動きが生まれるのでしょう。自分を保ちつつも外への意識を持ち、働きかけること。その動きが小さい自分をこえた社会性へと向かうのだと思います。

吉澤： 人はそれぞれこの地上での役割がある。生まれてきた意味がある。そしてそれぞれの成すべき課題がある。そして更に私は「私たちは自由を得る権利がある」と思っています。でもそれは理想であって、なかなかそうはいかないのが現実です。私たちはこのような「植物観察」と「連作」というこの小さな場を借りて、自分一人ではできないことも他の人への信頼と出会いへの感謝を持ち、個々の能力を生かして力を寄せ合い尊重し合う、そうした積み重ねによって一つのことを成し遂げ、おのおのがそのことを実感できる、そんな関係性を実現してきました。これらのことは社会において非常に大切なことだと思っています。ここで培ったものは、当然ながら各々が生活の中で生かせる能力になりえます。そしてそこから周囲の社会に少しずつ浸透するものにもなるのではないか、これは祈りでもあり、心からの願いです。

ゲーテの色環

光と闇の間に色彩は生まれる。光の代表として黄、闇の代表として青があり、
それらは色彩の**原現象**であるとゲーテは位置づけます。
黄と青が出合えば緑が生まれます。緑は地球上を覆い、私たちと動物たちの生命を
育む基盤である植物界の本質的な色です。黄が高まれば（強くなれば）赤みを帯び、
青も高まれば赤くなるとゲーテはいいます。赤はその様にして生まれます。
以上の観点が**色の三原色**とは違うところです。
そして黄、青、赤の三色それぞれが混ざり合い、ありとあらゆる段階において、
それぞれのあいだの色を作ります。そして人間の目の中でそれらの反対色（補色）を生み出します。
自然界と人間は相携えて全体性を持って、色彩を作り出しているのです。

「緑はエロヒム（造物主）が地上に生み出した色、緑の補色である真紅
（purpur）はエロヒムが天上界に生み出した色である」

徹底した自然観察を基に色彩の成り立ちを考え、体系化した
ゲーテの言葉としては大層謎めいています。

ヨハン・ヴォルフガング・フォン・ゲーテ
Johann Wolfgang von Goethe 1749 −1832

ドイツの詩人、作家、自然科学者、政治家
主著『ファウスト』『若きヴェルテルの悩み』『イタリア紀行』『西東詩集』他。
色彩論、形態学などの自然研究は膨大な量に及ぶ。

シュタイナーの色環

ゲーテの色彩論から発して、シュタイナーは彼の自然観、人間観から、
ゲーテが色彩としては取り上げなかった白と黒を精神界と人間を繋ぐ色彩として位置づけて、
色彩の本質を追求しました。白・黒・緑・桃花色（白と黒が動いているところに真紅が
差し込めば生まれる色）の四色を像の色、黄・青・赤を輝きの色と区別し、色彩の原現象は
血液の赤と神経の青と捉え、その間に桃花色を置きました。
この桃花色は「受肉の色—健康な人間の肌の色である」のです。

ゲーテが示唆するに留めた言葉から、その真意を汲みとり、シュタイナーは
彼の自然観と人間観を追求する道に導かれて、壮大な宇宙と
人間の存在の意味を説きました。

ルドルフ・シュタイナー
Rudolf Steiner 1861－1925

ドイツの哲学者、人智学（アントロポゾフィー）の創始者
ゲーテの自然科学論集編纂をとおして自然観、宇宙観の大きな示唆を得る。人間を身体・心魂・精神（霊）存
在ととらえ、独自の精神科学・アントロポゾフィーを構築した。現在、教育、芸術、医療、農業、宗教などの各分
野に及ぶ様々な実践的な活動が世界中に広がっている。《芸術と科学と宗教の融和協働》を説く。
『自由の哲学』『神智学』『いかにして超感覚的世界の認識を獲得するか』『神秘学概論』他著書講演録多数。

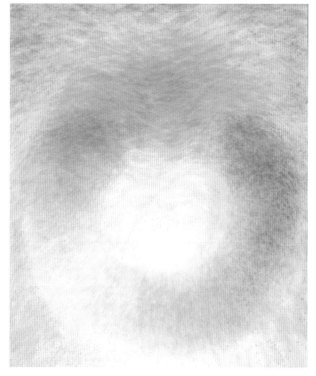

（植物顔料使用）

観る 阿修羅
2003

協 働 作 品

ツユクサ • 小林由香　篠裕子　河野弘未代　村上典子
ルドベキア • 小林由香　篠裕子　村上典子
ノブキ • 桃原広子　小橋正和　　ギボウシ • 伊藤純子　飯島恵美子　早矢仕マサ代　吉澤明子
フシグロセンノウ • 岩田真由美　長瀬美香　中村悦子　藤田真理子　干場久美子
オオツルダケ • 伊藤純子　藤田真理子

ツユクサ　ツユクサにおける三角形

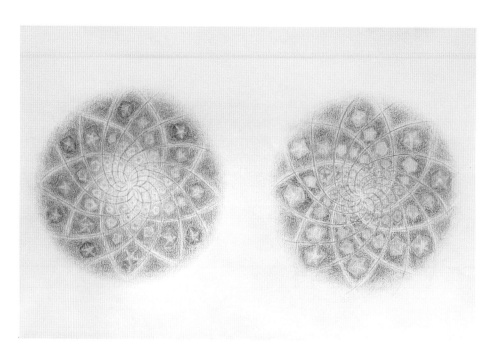

ルドベキア　　花芯のらせん〜フィボナッチ

ノブキ　フォルメン〜花びらに向かう力

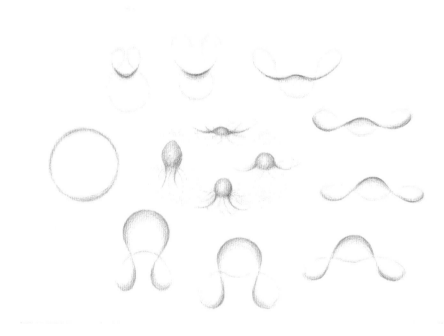

ルドベキア　　花冠のメタモルフォーゼ

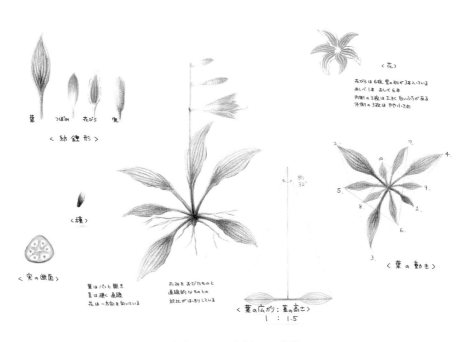

葉　つぼみ　花びら　実

< 紡錘形 >

< 花 >
花びらは6枚　紫の斑が3本入っている
あしべ1本　おしべ6本
内側の3枚は大きく　白いふちがある
外側の3枚は やや小さめ

< 種 >

< 実の断面 >

葉はパッと開き
茎は硬く直線
花は一方向を向いている

丸みをおびたものと
直線的なものとの
対比がはっきりしている

約32°

< 葉の広がり：茎の高さ >
1 ： 1.5

< 葉の動き >

ギボウシ　フギボウシの法則

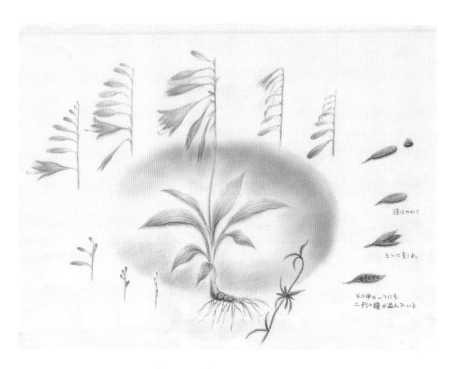

種はやがて

三つに割れ

その中の一つにも
二列の種が並んでいる

ギボウシ　花のメタモルフォーゼ

トキワツユクサ　白き星

フシグロセンノウ　風の力に触れて葉を広げる

フシグロセンノウ　花のフォルメン

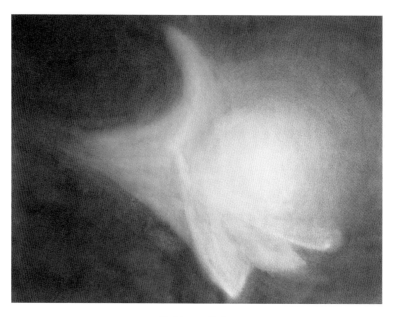

ギボウシ　傾聴

ルドベキア　Essence of "Rudbeckia"

オオツルダケ　フォルメン〜のびゆく、ひらく、還る

フシグロセンノウ　森のなかに灯をともす

あとがき

この本は、私たち絵画を活動の中心とする仲間が集まる夏毎の合宿の中で行われて来た「植物観察」の約20年間に亘る、研究成果です。

那須というこの自然の豊かな場所で、≪自然観察—特に植物観察≫を是非してみたいと思い立ち、始めてみました。植物観察の指導者としての地盤の無い私が指針としたのは、私が専門とするところの芸術(絵画・造形)療法の分野で、患者さんの観察方法として行っている方法論「ゲーテ的・シュタイナー的観察法」でした。

方法論の軸は上述のようにありましたが、実際的な方法は植物の観察を続ける中で大きく発展し変化してきました。 まさに植物に助けられ、参加した方々と一緒に作ってきた、との思いが強くあります。

従って、ここ数年間、継続的に同じ草花を同じメンバーが観察して、考察を深める作業が続き、特に絵画を「描くこと」を追求することでの発見や探求に魅了された私たちが集中的に取り組んできた結果、美しい観察画も多く生まれました。そして発表の機会を望むようになり、過去の展覧会「色の語らい100人展」(1995年から20年間、10回続いた — 横浜市大倉山記念館にて開催)では、展示で、見にいらした方々に驚きと喜びをお伝えすることができました。また、キリスト者共同体のカレンダーに2016、2017年度と2年連続して採用されて、多くの方々の目に触れることになり、その際、司祭から選んでいただいた聖書の言葉による宗教からのアプローチによって、私たちのこの学びに深い示唆を与えられました。

私たちは、この学びを通して、私たち自身が世界と深くつながっていることを実感し、「今、生きる喜び」を感じ、そのことが更に他者への関心、理解へと広がることを体験しました。物質主義が物事の考え方の主流を占めるようになって久しいなかで、「生命」にもっと目を向けることの必要性を感じます。

そしてこうしたことを公にすることは、人々の心が豊かになり、一人ひとりが精神の高みへのまなざしを獲得する糸口を得る助けとなることと思います。そして世界が豊かな真の叡智に導かれることと信じて、これまでの成果をこのたび出版という形でみなさんにお届けすることにいたしました。

またこの観察方法や力は教育の場でも医療の場でも、その場その人によって「自然界を知る、人間を知る、そして理解する」助けになり、きっと大きな力にもなり得ることと思います。

誰でもが志せばいつでもできる「植物観察」の場で、ここに提示した方法だけでなく、そこに集まる人々によって、その観察方法も表現方法も新たに作られていくことをこそ願っています。まだまだ植物観察は発展の可能性のあるものだと思っています。

昔から様々な植物が「薬草」として知られていますが、シュタイナーの医学でも、植物の観察からさまざまな植物の効能を見出し、宇宙的諸力を取り込み、医薬品や化粧品に活かしています。そうした場面でもこの植物観察法を更に深めて、宇宙の秘密に迫り、広い宇宙と私たち人間のからだがどのような関係にあるのか、尽きせぬ関心と探求心を掻き立てられます。

出版に当たりお世話になった方々、過去の那須の合宿に参加されて、観察の場を共にした方々には、様々な形で、それらは刺激となり、大きな励ましとなりました。お一人おひとりのお名前も挙げたいですが、失礼をご容赦ください。この場を借りて改めて御礼を申し上げます。

また美しい装丁にご協力いただいた赤羽なつみさん、そして早い段階から出版という私たちにとって未経験の場にたくさんのアドバイスと励ましをくださったイザラ書房の村上京子さんに心より感謝いたします。

2019 年 11 月 30 日

吉 澤 明 子

参考文献

J．ボッケミュール『植物の形成運動』 石井秀治、佐々木和子訳 耕文舎

J．W．ゲーテ『自然と象徴』 高橋義人編訳 冨山房書店

J．W．ゲーテ『形態学論集・植物篇』 木村直司訳 筑摩書房

R．シュタイナー『神智学』 高橋巖訳 イザラ書房 筑摩書房

R．シュタイナー『自由の哲学』 高橋巖訳 イザラ書房 筑摩書房

R．シュタイナー『いかにして超感覚的世界の認識を獲得するか』 高橋巖訳 イザラ書房

R．シュタイナー『ゲーテ的世界観の認識論要綱』 浅田豊訳 筑摩書房

R．シュタイナー『色彩の本質◎色彩の秘密【全訳】』 西川隆範訳 イザラ書房

E．マルティー『四つのエーテル』 石井秀治訳 耕文舎

E．マルティー『エーテルと生命力』 丹羽敏雄訳 涼風書林

M．コッフーン『植物の新しいまなざし』 丹羽敏雄訳 涼風書林

J．アダムス＆O．ヴィッチャー『空間・反空間のなかの植物』 石井秀治訳 耕文舎

H．R．ニーダホイザー『シュタイナー学校のフォルメン線描』 高橋巖訳 イザラ書房

吉澤明子 プロフィール

Akiko Yoshizawa

アントロポゾフィーに基づく絵画造形療法士、画家、バイオグラフィーワーカー

1969年東京芸術大学絵画科油画専攻卒、10年間に亘り子供の絵画・造形教室を主宰、

1987 － 1992 ドイツ・Witten のシュタイナー教育研究所およびHerdecke 共同体病院
にて芸術療法を学ぶ

帰国以来障がい者施設、老人介護施設等で芸術療法を実践

傍らシュタイナー教育と芸術療法の普及に努める

現在、横浜市すみれが丘ひだまりクリニック（Anthro-Med）にて色光及び絵画造形療法に携わる

東京、横浜、那須にて定期的な絵画クラスを持つ

シュタイナー教育教員養成講座運営委員兼講師を長年務める

シュタイナー教育水彩・絵画芸術研修機関Visio-paede（ヴィジオペーデ）研修所主宰

共著：『シュタイナー教育入門』 学研
　　　『アントロポゾフィー医学入門』 BNP
共訳：『芸術治療の実際』E.M.クリステラ 耕文舎
　　　『体と意識をつなぐ四つの臓器』H.アッペル 耕文舎

植物と語る　公然の秘密の扉

－ ゲーテとシュタイナーに学ぶ観察法 －

発行日　2020年2月25日　初版発行　　2023年4月25日　第3刷発行

著　者　吉澤明子

　　　　ヴィジオペーデ研修所

　　　　飯島恵美子　伊藤純子　岩田真由美　河野弘未代　小橋正和

　　　　小林由香　篠裕子　中村悦子　長瀬美香　早矢仕マサ代

　　　　藤田真理子　干場久美子　桃原広子　村上典子

挿　画　吉澤明子

　　　　表紙画 p.13 p.21 p.25 p.35 p.39 p.44 p.45 p.54

　　　　p.55 p.59 p.60 p.61 p.95 p.97 観る阿修羅

装　丁　赤羽なつみ

発行者　村上京子

発行所　株式会社イザラ書房

　　　　369-0305 埼玉県児玉郡上里町神保原町569番地

　　　　tel 0495-33-9216　fax 047-751-9226

　　　　mail@izara.co.jp　www.izara.co.jp/

印　刷　株式会社シナノパブリッシングプレス

Printed in Japan, 2023 ©Izara Shobo

ISBN978-4-7565-0144-8　C0070